mille chemins vers la sérénité

mille chemins vers
la sérénité

David Baird

Albin Michel

Sommaire

Introduction 6

Trouver la sérénité 9

Voix sereines 67

Calme 131

Patience 179

Bonheur 243

Perception 291

Paix 355

Perdre la sérénité 403

Introduction

Dans nos vies mouvementées, nous avons souvent du mal à trouver le chemin vers le monde enchanté de la paix et de la sérénité. Peut-être essayons-nous trop fort : nous le cherchons par-ci, nous le cherchons par-là et, tout à coup, nous nous retrouvons perdus dans la tourmente. Il est souvent dit que la sérénité se trouve dans les choses simples – lire un livre, écouter un morceau de musique, visiter une galerie d'art ou se promener dans un jardin public.

Quand votre vie pèse trop sur vos épaules, pensez à fermer les yeux, oubliez le monde pour quelques instants et accordez-vous la liberté de recréer ces moments de sérénité. De la même manière, nous espérons que les pensées réunies dans ce petit livre vous guideront vers le jardin secret et bien caché de la sérénité, vers ce sanctuaire de paix qui existe en vous et qu'il est important de retrouver lorsque les pressions de la vie se font trop fortes.

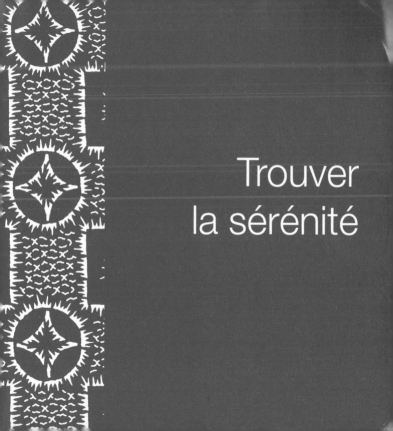

Trouver
la sérénité

Où se trouve la sérénité ? Derrière une porte dérobée dans le mur du jardin, que nous cherchons sans relâche et ne trouvons jamais.

**La sérénité n'est pas la paresse.
Dans la paresse, on se repose
avant d'être fatigué.**

La sérénité n'appartient pas à ceux qui
affirment que leur vie a été détruite par
d'autres. Ceux qui connaissent la
sérénité prennent leur vie en main.

**Celui qui reste indifférent à la
flatterie ou au dénigrement a déjà
le cœur serein.**

Plus vous chercherez
la sérénité, plus elle vous
échappera. Détendez-vous
et c'est elle qui vous trouvera.

Un esprit serein
est un paradis.

Un cœur serein ne se soucie pas de l'opinion d'autrui.

Le sot se plaint, condamne et critique. L'esprit serein loue chez les autres ce qu'ils font bien.

Parlez de choses positives.

Ne vous souciez pas des défauts d'autrui, mais des vôtres. Progressez.

Le calme et la sérénité mettent l'univers en ordre.

La sérénité est au-delà de la forme mais ne peut être saisie. Elle est au-delà du son mais ne peut être entendue. Elle ne peut pas être vue, mais elle est dans tout ce que l'on voit.

La sérénité s'obtient souvent par la confiance. Qui ne fait pas confiance aux autres n'inspirera pas confiance.

Croyez en vous-même et vous vous réjouirez dans la sérénité.

Les pouvoirs de l'émerveillement, de la curiosité et du plaisir sont donnés à l'âme sereine. Croyez en vous et tout cela viendra.

La sérénité vient en écoutant. Il est impossible d'écouter vraiment tout en faisant autre chose.

Il y a de la sérénité
dans la liberté
lorsque le peuple a
droit à la parole.
Il y a de la sérénité
dans la démocratie
lorsque le
gouvernement
écoute.

La sagesse est sereine. Elle s'acquiert en écoutant et le sage sera, à son tour, écouté.

Pour transmettre la sérénité à nos enfants, faisons très attention à ce que nous disons – car les enfants écoutent.

Si vous savez écouter, la sérénité vous parlera.

Si je pouvais mourir à l'instant même, je serais le plus heureux des vivants !

Samuel Goldwyn

La sérénité vient lorsque l'on s'accepte. Pour certains il s'agit d'accepter ce qu'ils sont et ce qu'ils seront toujours. Pour les autres, il s'agit de décider de ce qu'ils deviendront.

Vous serez serein lorsque vous saurez accepter que votre vie ne se déroule pas comme prévu.

La sérénité n'est pas l'amie de celui qui consacre sa vie à la quête de l'impossible.

La vie est une série de compromis et de conventions : il nous faut l'accepter pour devenir sereins.

Alors que les mots peuvent déformer
notre compréhension de la plupart
des philosophies et des sciences,
la sérénité est une base essentielle
qui gouverne la parole et la raison.

**La sérénité vient avec la
compréhension des forces de la
nature. Les quatre saisons, les
océans et leurs marées, les vents,
les cycles de la nature, de la
croissance et du dépérissement:
l'esprit tourmenté les combat,
l'esprit serein les accompagne.**

La sérénité est le sens du sens.

La sérénité est souvent brisée lorsqu'on cherche à juger la nature et à l'améliorer par force.

La sérénité peut être atteinte, tout simplement, en laissant l'esprit se reposer.

Vous ne trouverez la sérénité que lorsque vous éprouverez le besoin de vous regarder vous-même.

La sérénité se trouve dans le dépassement de la peur.

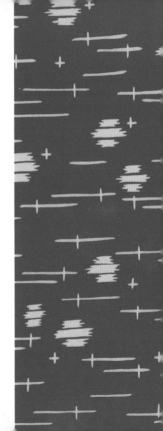

Affrontez la vie avec votre esprit naturel et non avec votre esprit conditionné.

Il y a de nombreux chemins vers la sérénité. Inutile de devenir adepte du Zen ou de prendre la nationalité japonaise pour la trouver.

La sérénité est déjà présente en nous. Nous perdons de temps à autre le contact avec elle, voilà tout.

Être serein, c'est être naturel, c'est être soi-même dans tout ce que l'on fait.

**La sérénité vous montrera à
quel point vous êtes unique.**

La sérénité est un jardin
où cultiver votre âme.

La sérénité peut vous faire faux bond mais, une fois que vous l'avez connue, vous reconnaîtrez toujours le chemin pour la retrouver.

Un instant de sérénité peut soulager une vie de tourment.

La sérénité n'est pas égoïste, pas plus que l'ami qui comprend votre besoin de la trouver.

Votre cheminement vers la sérénité ne ressemblera à aucun autre.

La sérénité est votre droit, comme l'air que vous respirez.

Il y a suffisamment de sérénité pour tous, mais chacun doit faire son propre voyage.

Souvent, il est possible de trouver la sérénité en ne disant et en ne faisant rien.

La sérénité donne des forces.

Ceux qui veulent vous « sortir de vous-même » créent beaucoup d'agitation alors que, le plus souvent, la sérénité se trouve à l'intérieur de nous-mêmes.

**On perd plus de temps
à essayer d'être à l'heure
qu'à être serein.**

L'ambition et la sérénité
ne font pas bon ménage ;
en revanche, succès et
sérénité marchent souvent
main dans la main.

Nous nous croyons tous très différents. Pourtant, seul celui qui ne recherche ni le bonheur ni la sérénité peut vraiment prétendre à l'originalité.

Imaginez la joie, vous découvrirez la sérénité. Découvrez la vie, vous trouverez la joie.

La sérénité est plus débordante de vie que n'importe quelle rue bondée.

Notre sérénité et notre bonheur ne dépendent que de nous.

Qui que vous soyez et quel que soit votre état de confusion, il existe une prière qui vous donnera la clé de la sérénité. Elle tient en un mot : « Merci ».

Pour être serein, il faut quelque chose à aimer, quelque chose à faire et quelque chose à espérer.

La sérénité a beaucoup d'à-côtés, y compris le bonheur.

Parfois, lorsque nous sommes trop centrés sur nous-mêmes et sur le désordre de notre vie, la sérénité nous échappe. Il nous faut alors, momentanément, détourner notre attention de notre personne.

La solitude est irriguée par une source pure et rafraîchissante pour l'esprit.

Important : la sérénité est bien moins une destination qu'une manière de voyager.

Dans la sérénité, vous pouvez lâcher prise. Plutôt que de chercher à devenir quelque chose, vous pouvez vous consacrer à devenir quelqu'un.

Nous allons souvent bien loin pour chercher la sérénité, alors qu'elle se trouve là où nous sommes et que nous seuls pouvons la cultiver.

Rien ne rapproche les gens plus rapidement que le rire. Rien ne garantit mieux la sérénité que de tels moments.

La sérénité multiplie la joie et divise
la tristesse.

La sérénité exige très peu de nous.

La sérénité est une sensation et non
une construction intellectuelle. Mieux
vaut ressentir que penser à ressentir.

On ne peut être serein si l'on est incompris. Accepter cela peut déjà vous apaiser.

Décidez-vous à chercher la sérénité.

Un esprit serein donne de l'espace pour penser.

**Accueillir avec gratitude
la vie et tout ce qu'elle
comporte : voilà une
attitude sereine.**

Certains se sentent très seuls
en compagnie d'eux-mêmes.
Cela est épargné aux esprits
sereins.

Certains sont vraiment sereins,
d'autres ne font qu'en avoir l'air.

**Il faut, bien sûr, attendre de
la vie tout ce qu'elle a à offrir,
mais pas plus.**

La sérénité est l'espace de
l'imaginaire, et non de la critique.

À trop chercher la sérénité, souvent nous perdons sa trace : nous ne pensons pas la trouver en nous-mêmes, et nous ne la voyons nulle part ailleurs.

Faites de votre mieux, essayez d'obtenir le meilleur de vous-même.

La sérénité n'a rien à voir avec les circonstances.

Mieux vaut être qu'avoir.

Inutile de chercher
la sérénité dans
des croyances qui
se focaliseraient sur
les intérêts d'une
personne, d'un groupe
ou d'un peuple.

**La sérénité est
un flux naturel.
Pour la trouver,
redécouvrons
d'abord notre
nature spirituelle.**

45

La sérénité s'exprime dans la douceur, quels que soient nos actes et nos paroles.

Les esprits sereins sont calmes et de bonne compagnie.

Les gens sereins ont l'esprit libre. Ils ne s'immiscent pas dans la vie des autres.

Lorsque vous aurez découvert la sérénité, vous pourrez guider les autres vers leur vraie nature et leur propre sérénité.

La sérénité est multiforme. C'est une source d'énergie pure, gratuite et universelle.

Ceux qui veulent partager leur sérénité sont souvent assommants. Ne les laissez pas vous décourager !

Chercher la sérénité dans un séminaire peut être utile à certains, mais attention : cette démarche peut aussi élever des barrières insurmontables.

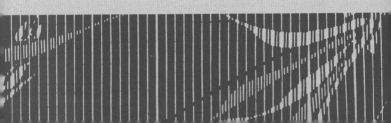

Personne n'a le monopole
de la sérénité.

La sérénité n'est
pas la récompense
d'un sacrifice.

Les conseils les plus éclairants viennent souvent de notre entourage immédiat.

Certains trouvent la sérénité en contemplant l'infiniment grand alors que d'autres la cherchent avec succès dans les plus petits détails.

La sérénité est considérée par beaucoup comme un grand antidote à la douleur.

La sérénité n'a pas
de préjugés :
personne n'est élu,
personne n'est
rejeté.

**Il est difficile, si ce
n'est impossible,
pour l'égoïste et le
suspicieux de
trouver la sérénité.**

51

Rien n'arrête ceux qui font de la sérénité le but de leur vie.

La recherche de la sérénité n'est pas une croyance religieuse. Elle est ouverte à chacun et à tous, vous compris.

Pour atteindre la sérénité,
il est vital d'avoir une
perception claire.

La sérénité n'est pas visible, elle EST.

Sans désir, le cœur devient
calme, l'univers entier
devient serein.

Avant d'emprunter le chemin de la sérénité, nous devons d'abord atteindre l'harmonie.

Pour atteindre l'harmonie, il nous faut voyager vers notre énergie spirituelle naturelle et lui permettre de nous rencontrer, ainsi que notre esprit, notre corps, notre environnement, notre vie.

La sérénité nous aide à savoir quand suivre notre cœur et quand suivre notre tête.

Pour l'esprit serein, il n'y a plus de séparation entre l'énergie intérieure et la vie quotidienne.

Qui a trouvé la sérénité est doux, non-violent et respectueux du don qu'il possède.

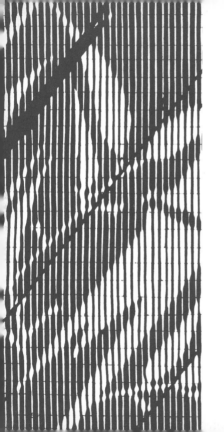

La sérénité ne se montrera pas avant que vous ne commenciez à vous prendre en main.

La sérénité va de pair avec l'évolution spirituelle.

Tout le monde se trompe, mais la sérénité vient à ceux qui corrigent continuellement leurs erreurs pour se rapprocher de leur nature spirituelle.

Trouver la sérénité, c'est rentrer chez soi.

Cherchez la sérénité le matin au lever et le soir au coucher.

La sérénité, la foi et le comportement ne font qu'un – les prendre séparément n'a aucun sens.

Nous hésitons longtemps entre l'amour et la haine avant d'arriver à la sérénité.

La sérénité est déjà présente dans vos pensées les plus belles et les plus pures.

La beauté qui s'élabore dans votre esprit est porteuse de sérénité.

La sérénité nous soutient de l'intérieur.

La vie ne peut pas être parfaitement comprise si la sérénité ne l'est pas.

Le royaume de la sérénité est déjà présent en vous.

La sérénité est ce qu'aucun œil n'a vu et ce qu'aucune oreille n'a entendu. Ce qu'aucune main n'a touché et ce qui ne s'est jamais concrétisé dans l'esprit humain.

De la sérénité émerge une personne qui déborde de confiance et de bonheur.

La sérénité vient à celui qui se connaît bien.

La sérénité développe la capacité d'être en désaccord avec les autres. Celui qui écoute calmement comprend avec précision ce sur quoi il n'est pas d'accord.

On peut trouver la sérénité en s'abstenant d'agir.

Pour la tranquillité d'esprit, mieux vaut créer les opportunités que partir à leur recherche.

Nous vivons tous dans le même monde agité – certains d'entre nous s'en sortent mieux que d'autres.

Certains laissent la porte grande ouverte à la sérénité, d'autres ne voudront jamais la déverrouiller.

Nous avons tous besoin de comprendre et d'être compris. Sans cela, il ne peut y avoir de sérénité.

C'est nous qui plaçons des barrières sur les chemins de la sérénité, et ce sera à nous de les dégager.

Voix
sereines

Le résultat de la
vertu ? La sérénité.
Épictète

**L'humour, c'est le chaos
émotionnel dont on se
souvient une fois serein.**

James Thurber

Lorsqu'on éprouve du dégoût pour le mal, lorsqu'on se sent en paix, on trouve du plaisir à écouter les bons enseignements ; qui apprécie ces sentiments est libéré de la peur.

Bouddha

Qui vit possède tout ;
qui retient ne possède rien.

Proverbe hindou

Qui n'a pas de
ressentiment
trouvera sûrement
la paix.

Bouddha

**Il n'y a pas
de joie hors
de la sérénité.**

Tennyson

**Un égoïste
se vole lui-même
plus que tout autre.**
Henry Ward Beecher

Une vie heureuse
est une vie sereine.
Cicéron

La beauté idéale
est simple et sereine.

Goethe

**J'apprécie une solitude
sereine et une compagnie
calme, sage et plaisante.**

Shelley

Si les pensées sont totalement sereines, le cœur céleste devient visible. Le cœur céleste se trouve entre le soleil et la lune (c'est-à-dire entre les deux yeux). Il est la source de la lumière intérieure.

Lu Yen

**Le lourd est la racine du léger.
L'homme tranquille est le maître
de l'agité.**

Lao Tseu

L'homme raisonnable s'adapte
au monde ; l'homme déraisonnable
persiste à adapter le monde à sa
personne. Donc, tout progrès est
le fruit de la déraison.

George Bernard Shaw

Dans la recherche même
des meilleures choses,
il nous faut rester calmes
et sereins.

Cicéron

**Les plaisirs tranquilles sont les plus
durables ; nous ne sommes pas
armés pour supporter le fardeau
d'une joie trop intense.**

Henry Ward Beecher

Avec quel calme, avec quelle beauté arrive
L'heure sereine qui succède aux tempêtes,
Lorsque les vents batailleurs se sont calmés
Et que les nuages, sous les rayons dansants,
Fondent et laissent la terre et la mer
Endormies dans une sérénité étincelante.

Thomas Moore

**Ne vous y trompez pas. Ces plaisirs
qui troublent la paix et la sérénité
de votre vie n'en sont pas.**

Jeremy Taylor

La seule voie vers une vie sereine passe par la vertu.

Juvénal

Le pouvoir est si indissociable du calme que le calme lui-même ressemble au pouvoir.

Bulwer-Lytton

Quelle que soit votre importance, restez modeste dans vos manières. Ne vous vantez pas de ce que vous savez, même si vous êtes savant. Quelle que soit la hauteur de votre ascension, n'en soyez pas fier.

Nagarjuna

Sérénité et ironie sont les seules armes dignes des puissants.

Yi King

N'oubliez jamais de garder une âme sereine au milieu des difficultés.

Horace

La poursuite avide de la fortune est incompatible avec un dévouement rigoureux à la vérité. Le cœur doit devenir serein avant que la pensée puisse commencer sa quête.

Bovee

Qui cherche la vraie voie vers l'illumination ne doit pas s'attendre à une tâche facile ni rendue agréable par les témoignages de respect, d'honneur et de dévotion. En outre, il ne faut pas rechercher, en se donnant très peu de moyens, un minimum de sérénité, de connaissance et d'intuition.

Bouddha

La parole est d'argent, le silence est d'or.

Proverbe turc

C'est la maladie de ne pas écouter,
La maladie de ne pas laisser sa marque,
Qui me trouble.

William Shakespeare

**Seuls le sage et le sot
ne changent jamais d'avis.**
Confucius

Si le *moi* n'existe pas,
Comment le *mien* pourrait-il
exister ?

Nagarjuna

Jamais je n'ai vu ni senti un calme si profond !
La rivière coule à son rythme :
Ô Dieu ! Même les maisons semblent
                          endormies :
Et ce cœur tout-puissant demeure immobile !

William Wordsworth

**La parole appartient au domaine
de la connaissance. L'écoute est
le privilège de la sagesse.**

Oliver Wendell Holmes

Soyez vous-même le changement
que vous désirez voir dans le monde.

Mahatma Ghandi

L'écoute est une chose étrange et magnétique, une force créatrice. Les amis qui nous écoutent sont ceux vers qui nous allons. Quand on nous écoute, cela nous crée, nous développe et nous grandit.

Karl Menninger

Dans la nature, les choses bougent violemment vers leur place et restent calmement à leur place.

Francis Bacon

Il y a certainement quelque chose dans la sérénité de la nature qui en impose à nos petites anxiétés et à nos doutes : la vue d'un ciel d'un bleu profond avec son tapis d'étoiles semble apaiser l'esprit.

Jonathan Edwards

En montagne, le chemin le plus court est de sommet à sommet ; mais pour le parcourir, il faut avoir de grandes jambes.

Friedrich Nietzsche

Toutes les pensées intelligentes ont déjà été pensées ; nous ne pouvons qu'essayer de les penser à nouveau.

Goethe

Rien n'est plus dommageable
à une vérité nouvelle qu'une
ancienne erreur.

Goethe

**La distinction entre passé, présent
et futur n'est qu'une illusion tenace.**
Albert Einstein

J'ai fait un rêve, et l'esprit humain est
bien trop limité pour nommer ce rêve.

William Shakespeare

Si les portes de la perception étaient dégagées, toutes choses apparaîtraient à l'homme telles qu'elles sont : infinies.

William Blake

Nous dansons en rond et supposons. Mais le Mystère, lui, est au centre et il sait.

Robert Frost

**La Patience ressemble tellement
à la Force morale qu'elle semble
être soit sa sœur, soit sa fille.**

Aristote

De la multitude des particules vient
l'unité, et de l'unité vient la multitude
des particules.

Héraclite

L'être humain comme la montagne
Doivent s'incliner devant le temps.

Goethe

**Nous explorerons sans relâche
Et au terme de nos explorations
Nous rallierons le point de départ
Et le connaîtrons pour la première fois.**

T. S. Eliot

Quand on ne peut pas parler, il vaut mieux se taire.

Wittgenstein

Les mots bousculent et transgressent la compréhension, et créent le désarroi, et conduisent les hommes à des controverses et à des fantaisies innombrables et vaines.

Francis Bacon

**C'est la théorie qui décide
de ce qui peut être observé.**

Albert Einstein

Le plus grand bonheur
de l'homme est d'explorer
ce qui est à portée de sa
compréhension et de
vénérer tranquillement
ce qui ne l'est pas.

Goethe

Il faut simplifier au maximum, mais pas plus.
Albert Einstein

L'homme bon
et l'homme sage
mènent des vies
tranquilles.

Euripide

Une heure de jeu en dit plus
sur quelqu'un qu'une année
de conversation.

Platon

**Les hommes recherchent le
bonheur par des chemins et des
moyens différents et, ainsi, créent
des modes de vie et des formes
de gouvernement différentes.**

Aristote

Et si vous rêviez que vous alliez
au paradis et y cueilliez une fleur
étrange et magnifique ;
et si à votre réveil vous trouviez
cette fleur dans votre main ?
Oh, que se passerait-il alors ?

Samuel Taylor Coleridge

Pour tracer les limites de la
pensée, il faudrait penser aux
deux côtés de cette limite.

Wittgenstein

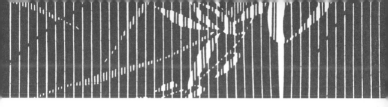

Si les anges savent voler,
c'est parce qu'ils ne se
prennent pas au sérieux.

G. K. Chesterton

**Mettez votre cœur, votre esprit,
votre intelligence et votre âme
même dans vos actes les plus
infimes. C'est le secret du succès.**

Swami Sivanda

Quand vous êtes triste, regardez
à nouveau en votre cœur et,
en vérité, vous verrez que
vous pleurez sur ce qui fut votre
plaisir.

Kahlil Gibran

La patience
soutient la faiblesse,
l'impatience
diminue la force.

Colton

Patience et longueur
de temps font plus
que force ni que rage.
La Fontaine

Votre corps est précieux.
Il est votre véhicule vers l'éveil.
Traitez-le avec soin.

Bouddha

La gaieté éclaire l'esprit
comme la lumière du jour,
et l'emplit d'une sérénité
constante et perpétuelle.

Joseph Addison

**Notre but dans la vie
est d'être heureux.**

Dalaï Lama

**La paix vient du dedans.
Ne la cherchez pas dehors.**

Bouddha

La colère éteint
la lampe de l'esprit.

Robert Ingersoll

L'âme se nourrit
de fleurs.
     Mohammed

**Éloignez vos pensées de vos
difficultés… Tirez-les par les
oreilles, par les pieds, ou par
tout autre moyen.**

Mark Twain

La vie est trop importante pour être prise au sérieux.

Oscar Wilde

La santé est le plus grand cadeau, le bonheur la plus grande richesse, la fidélité la meilleure relation.

Bouddha

On n'est jamais
si heureux
ou malheureux
qu'on s'imagine.

La Rochefoucauld

Dans le cœur de tout homme,
il y a un nerf secret qui répond
aux vibrations de la beauté.

Christopher Morley

**Ni le feu ni le vent,
ni la naissance ni la mort
ne peuvent effacer
nos bonnes actions.**

Bouddha

**Au centre de la difficulté se trouve
l'opportunité.**

Albert Einstein

Qui est pressé n'arrive jamais.

Précepte zen

Si j'avais devant moi l'éternité, ce n'est pas la résignation, c'est la patience que je prêcherais.

Elsa Triolet

Si vous recherchez le mal avec plaisir, le plaisir s'en va et le mal demeure. Si vous recherchez le bien par le travail, le travail s'en va mais le bien demeure.

Cicéron

Devant le danger, ne pas tenter la fuite. Mieux vaut résister calmement, puis se satisfaire des petits gains qui viendront si l'on imagine des solutions adaptées.

Yi King

Le grand âge a un sens aigu du calme et de la liberté, lorsque les passions ont lâché prise et se sont libérées non pas de leur maître, mais de leurs nombreux maîtres.

Platon

Tout arrive
pour qui sait attendre.

Tancrède

Un esprit calme et déterminé,
Des pensées douces et des désirs
                              tranquilles,
Deux cœurs partageant un amour égal
Nourrissent des feux éternels.

Thomas Carew

Une souffrance méritée doit être supportée calmement, mais une douleur injustifiée cause une peine incommensurable.

Ovide

Plus riche est une heure de repentir et de bonne volonté dans ce monde que toute la vie du monde à venir ; et plus riche est une heure de sérénité dans le monde à venir que toute la vie de ce monde.

Le Talmud

Gardez une âme sereine au milieu des difficultés.

Horace

Pensez avec tout votre corps.

Taisen Deshimaru

La patience est la clé du contentement.

Mohammed

Le vrai courage est calme et tranquille. Les plus courageux des hommes sont les plus dépourvus d'insolence brutale, et à l'instant même du danger, ils sont les plus libres et les plus sereins.

Shaftesbury III

Je ne m'embête nulle part,
car je trouve que, de s'embêter,
c'est s'insulter soi-même.

Jules Renard

**Nous sommes faits de
l'étoffe de nos rêves,
Et notre petite vie est
entourée de sommeil.**

William Shakespeare

L'esprit patient vaut mieux que l'esprit fier.

L'Ecclésiaste

L'homme qui, en tant qu'être physique, est toujours tourné vers l'extérieur, pensant que son bonheur se trouve hors de lui, se tourne enfin vers lui-même et découvre que la source est en lui.

Kierkegaard

**La sérénité ne peut être atteinte
que par un esprit désespéré.
Il faut avoir beaucoup vécu
et aimer encore le monde.**

Blaise Cendrars

Comme ils sont pauvres, ceux
qui n'ont pas de patience !
Quelle blessure s'est jamais
guérie autrement que par
étapes ?

William Shakespeare

Voir un monde dans un grain de sable,
Et le paradis dans une fleur sauvage,
Tenir l'infini dans la paume de sa main,
Et l'éternité dans une heure.

William Blake

**Une âme franche est plus sage
et plus noble.**

Héraclite

Possédez beaucoup, vous serez perdu.

Lao Tseu

Il existe une forme d'espoir qui n'est jamais inutile et qui ne diminue certainement pas avec l'augmentation de nos connaissances. Sous cette forme-là, elle change de nom et on l'appelle patience.

Bulwer-Lytton

Les gens ne voient que ce qu'ils sont prêts à voir.

Ralph Waldo Emerson

On ne va
jamais aussi
loin que
lorsque l'on
ne sait pas
où l'on va.

Goethe

La montée
et la descente
ne font qu'une.

Héraclite

Qui ne se souvient
pas du passé
est condamné
à le répéter.
George Santayana

**Avec du temps et de la patience,
la feuille du mûrier devient
une écharpe de soie.**

Proverbe chinois

Dans le silence et la solitude, on n'entend plus que l'essentiel.

Camille Belguise

La patience est le meilleur remède à tous les maux.

Plaute

La courtoisie est à la nature humaine ce que la chaleur est à la cire.

Arthur Schopenhauer

La confiance en soi est le préalable à toute grande entreprise.

Samuel Johnson

Nous sommes
ce que nous faisons
sans cesse.

Aristote

Même le plus sage des sages
peut se tromper.

Eschyle

Les gens bien dorment mieux la nuit que les méchants. Bien sûr, les méchants profitent beaucoup plus de la journée.

Woody Allen

Ne recherchez pas ce qui est trop difficile pour vous, ni ce qui est au-delà de vos forces.

Anonyme

La dignité ne consiste pas à posséder des honneurs, mais à les mériter.

Aristote

Je ne trouve pas de dénominateur commun entre les gens que j'apprécie ; mais entre ceux que j'aime, oui : ils me font tous rire.

W. H. Auden

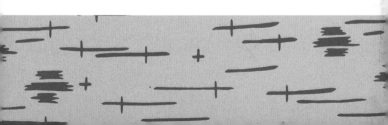

Ne critiquez pas l'homme moqueur,
sinon il vous haïra ; corrigez
l'homme sage et il vous remerciera.
Instruisez l'homme sage et il sera
encore plus sage ; éduquez
l'homme juste et il améliorera
ses connaissances.

Proverbes

Je pense,
donc je suis.
Descartes

N'ignorez pas ce qui est proche lorsque vous visez loin.

Euripide

La vie, c'est ce qui nous arrive quand nous sommes occupés à autre chose.

John Lennon

N'ayez pas peur d'être excentrique dans vos opinions, car les idées communément admises aujourd'hui étaient excentriques hier.

Bertrand Russell

Que celui qui veut déplacer le monde se déplace d'abord lui-même.

Socrate

Il n'y a rien
de permanent
sauf le
changement.
    Héraclite

Aime la vérité,
mais pardonne
à l'erreur.
    Voltaire

Si tu veux une année de prospérité,
cultive le grain.
Si tu veux dix années de prospérité,
cultive les arbres.
Si tu veux cent années de prospérité,
cultive les hommes.

Proverbe chinois

**Nous ne sommes pas
séparés de l'esprit.
Nous sommes dedans.**

Plotin

**Agissez sans faire ; travaillez
sans effort.**

Lao Tseu

Ce qui nous fait mal nous instruit.

Benjamin Franklin

**L'esprit est prisonnier de la matière
comme l'esprit Ariel dans un pin
tourmenté. Comme Ariel, les
hommes se battent pour échapper
au poids de la matière qu'ils
habitent.**

Loren Eiseley

Quand l'esprit est possédé par la réalité, il se sent serein et joyeux même sans musique ni chant, et il dégage un parfum pur même sans encens ni thé.

Hung Tzu-ch'eng

Calme

Celui qui vit dans le calme est bien plus sociable, bien plus civilisé que celui qui se plie scrupuleusement aux usages et aux règlements.

La tension détruit, le calme guérit.

La peur crée la tension.

Les gens honnêtes se font
léser en permanence ;
les personnes calmes n'en
sont pas moins honnêtes.

**Le calme a toujours la haute main
sur la précipitation.**

À trop se précipiter, on perd le contrôle.

Calme et sérénité ont le pouvoir de conquérir le monde.

Asseyez-vous, soyez calme, pleurez si vous voulez.

**Allez voir la mer :
son flux et son
reflux sont le reflet
de notre propre
agitation.**

Allez voir l'étang :
sa sérénité se trouve
en chacun de nous.

**La sérénité
commence au bord
de l'eau.**

Le calme
qui suit le
rire
ressemble
à un grand
poids que
l'on aurait
ôté de vos
épaules.

Vous le savez bien : un problème ne va pas cesser d'exister simplement parce que vous regarderez ailleurs.

La sécurité n'existe pas dans la nature – acceptez-le et retournez au calme.

Avant d'agir, demandez-vous : « Y a-t-il plus de danger à éviter le danger ou à s'y exposer ? »

Ce n'est jamais le mauvais moment pour faire une bonne action.

L'avenir, même s'il nous paraît dangereux, ne peut jamais arriver qu'un jour à la fois.

La sérénité des autres peut nous aider à devenir calmes.

Notre malheur vient de notre volonté de croire que le seul but de la vie est le bonheur.

Apprenez à accepter ce que vous ne pouvez pas changer. Pas dans la résignation aveugle, mais dans la compréhension totale.

Apprenez à gérer votre stress.

Occupez-vous de votre aquarium.

Cessez de danser au bord du volcan.

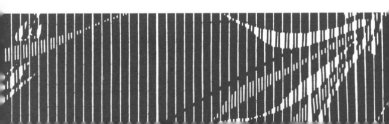

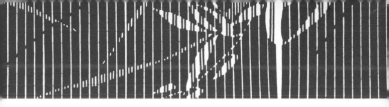

Évitez le chemin qui mène au triple pontage coronarien.

Lorsque vous voyez un oiseau en vol,
laissez votre regard voler avec lui –
prenez le temps de l'admirer.

Dégustez votre journée.

Apprenez à
écouter vraiment :
avec les oreilles…
et avec les yeux.

Inspirez : tout votre
corps se gonfle d'air.
Expirez : tout votre
corps se vide d'air.

Imaginez : cette chaise
est un bateau, ce lit est
un planeur… Jouez,
détendez-vous,
amusez-vous.

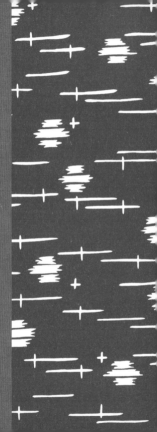

Chantez le chant de la vie.

**Écrivez, peu importe quoi –
quelques mots,
une pensée, un poème,
une lettre.**

Ne faites rien
et soyez-en fier.

Cultivez les plaisirs de l'art de vivre. Si vous dînez, dînez vraiment : préparez, cuisinez et dégustez.

Priez ouvertement, même si vous priez la nature. Soyez vous-même.

**Apprenez à aimer
quelqu'un, sans condition.**

Enthousiasmez-vous
pour ce monde
merveilleux.

**Perdez-vous
dans la forêt
de votre imagination.**

Célébrez la vie sereinement.

Nous sommes plus sûrement punis *par* nos péchés que *pour* nos péchés.

Si vous creusez une fosse,
vous prenez le risque
de tomber dedans.

**Le problème avec le mensonge,
c'est que les menteurs croient
rarement les autres.**

Prenez
le chemin
intérieur
qui mène
à la paix.

**La jalousie
est l'un des
pires
tourments
que l'on
puisse
s'infliger à
soi-même.**

Si nous nous appliquons à traquer
le meilleur chez les autres, nous
traquerons le meilleur en nous-mêmes.

**La dépression se nourrit d'elle-
même, mais elle ne trouve rien pour
subsister dans un cœur calme.**

Le doute engendre le doute,
la sérénité engendre la sérénité.

Si l'homme est inhumain envers l'homme, c'est par indifférence.

Nous qui ne sommes pas aveugles, pourquoi refusons-nous de voir ?
Nous qui ne sommes pas ignorants, pourquoi refusons-nous de savoir ?

La plupart des êtres humains passent la plus grande partie de leur vie à essayer de ne pas penser.

Le mensonge, c'est du court terme. La vérité, du long terme.

Se fâcher en vaut rarement la peine, sauf si vous êtes certain de vous fâcher contre la bonne personne, au bon moment, au bon niveau et pour la bonne raison.

Transformez votre jalousie en admiration.

Les vrais grands esprits font tout
pour aider les autres à le devenir,
alors que les esprits étroits font tout
leur possible pour étouffer l'ambition
chez les autres.

Si vous laissez
quelqu'un vous haïr,
il a déjà gagné :
c'est vous qui souffrez.

Apprenez à trouver la joie dans ce qui est simple, ce qui est serein et ce qui est gratuit.

Un esprit calme est un esprit sain.

Choisissez d'être calme. Car c'est un choix.

Il n'est ni facile ni rapide de trouver le calme. C'est une leçon toujours recommencée.

Détendez votre esprit et laissez vivre vos sens.

Respirez, non par petites inspirations, mais par grands souffles revitalisants.

Être calme, ce n'est pas se fermer à la vie mais, au contraire, acquérir une meilleure compréhension des problèmes de l'existence.

Qu'importe la tourmente des vagues à la surface de l'océan, dans le fond les eaux sont toujours calmes.

Détendez votre front : déjà vous sentez les soucis s'éloigner.

Essayez de voir à nouveau – voir réellement – avec les yeux d'un enfant.

Avoir un esprit calme, c'est être capable de choisir ses actes.

Ne vous sentez pas coupable de vous faciliter la vie.

Dans la mesure du possible, éloignez-vous sans regret des situations difficiles.

**Qui est plein de rage
est rarement à son aise.**

L'impatience détruit
le calme.

**La sérénité est sœur de la
patience et la patience est
mère de l'espoir.**

L'orgueilleux vit largement, le calme vit longtemps.

Soyez calme et la vie viendra à vous.

Le calme guérit bien des maux.

Celui qui est calme a les moyens de vaincre l'impatient.

Le calme est l'arme la plus puissante contre l'adversité.

Sans calme, toutes les routes paraissent trop longues.

Sans calme, tous les honneurs semblent hors de portée.

Sans calme, il ne peut pas
y avoir de réussite.

La compassion
comble le cœur.

Dans la nature, le calme suit toujours la tempête.

Le calme nous donne la patience de bien faire les petites choses et la compétence de maîtriser les situations difficiles.

Dans les moments de panique extrême, tournez-vous vers ceux qui restent calmes, car leur pensée demeure claire et objective.

Observez les génies : chez eux, on trouve toujours le calme.

Le calme est une porte du paradis que l'impatient ne pourra jamais franchir.

Pour accéder au calme,
il faut de la patience.

Nous pouvons trouver le calme lorsque nous acceptons en nous ce qui ne peut être changé.

Le courage ouvre le cœur.

Apprenez à accepter que ce qui ne peut être guéri doit être supporté.

Le calme est un grand guérisseur.

Le calme est accessible si nous choisissons de suivre le rythme de la nature. Car le secret de la nature, c'est la patience.

Le calme doit d'abord venir de nous ; il serait vain de le chercher ailleurs.

À contempler
la réalité calmement,
l'esprit se sent serein.

Être calme, c'est savoir se contrôler.

Ceux qui savent rester calmes ont leur propre rythme, qui leur permet d'affronter les aléas de l'existence.

N'espérez pas prendre votre vie en main sans vous prendre en main vous-même.

Le calme est l'horloge
pendant la tempête.

**Contemplez ce qui
est le plus cher à
votre cœur, car là
se trouve le germe
de votre sérénité.**

Qui traverse la vie
avec calme, sans
attaches et sans
se laisser bousculer
trouvera la paix
éternelle.

La dualité n'est pas l'amie du calme, mais nous pouvons être sereins dans l'unité des choses si nous restons patients et concentrés.

**Cultivez le calme
dans le jardin de
votre cœur.**

Les mauvaises herbes
qui étouffent le calme
sont la jalousie,
l'égoïsme, l'avarice,
la haine et l'impatience.

**Profitez du
calme qui suit
les tempêtes.**

**Levez-vous dans le calme,
votre journée sera sereine.**

Pour rester calme, inutile
d'enrager contre les difficultés.
Elles peuvent et doivent être
abordées sereinement.

**Entrez dans la contemplation
sereine. La méditation paisible
est la marque de celui qui cherche
l'éveil.**

Ce n'est que par la connaissance de vous-même qu'apportent la réflexion et la méditation que vous pourrez rejoindre votre esprit et accéder à la sérénité.

Il y a plus de sérénité à se souvenir d'une journée simple qu'à revivre nos batailles et nos victoires, nos succès et nos triomphes.

La vérité est toujours la compagne du calme.

La contemplation sereine est si calme qu'il est difficile de s'en extraire.

La solitude est le meilleur moyen de transport vers le calme.

Il y a beaucoup de sérénité dans le génie et la solitude.

Lorsque votre musique intérieure éclipsera les bruits extérieurs, vous aurez atteint l'état de calme qui porte en lui votre sérénité.

Faites face. Évitez le stress. Vivez pour la stabilité. Ouvrez vos bras au changement. Restez calme face aux hasards et à l'adversité.

**Notre difficulté à rester calme
semble tenir à notre fréquente
absence d'amour et de respect
pour nous-mêmes.**

Une vie dépourvue de moments
de calme et de réflexion n'est pas
vraiment une vie.

**La finalité de toute chose est
de contrôler son esprit de manière
à se concentrer sur ce qui nous
semble essentiel.**

La vie n'est qu'un passage. Si vous gardez cela à l'esprit, vous remplacerez facilement l'avarice et la rage par le calme et la sérénité.

**Tout désaccord avec soi-même trouble la sérénité.
Ne vous laissez pas influencer par des émotions confuses.**

Considérez sereinement la rationalité de vos actions. Ce n'est pas parce que vous avez été échaudé une fois que toutes les eaux sont à craindre.

Une vie sans calme est une vie sans âme. Une vie sans âme ressemble à un sac vide. Un sac vide ne peut se tenir debout.

Un grand esprit, par définition, reste calme et imperturbable.

Il n'y a pas de sérénité sans volonté d'examiner calmement sa vie.

L'humanité semble
attirée par le désordre.
Les instants sereins
sont rares et espacés.
Certains les évitent
même, par peur
du ridicule.

Le moment le plus
vital pour vous
détendre est celui que
vous n'avez pas le
temps de prendre.

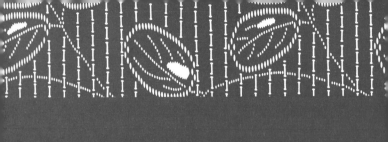

Un cœur calme
est un cœur libre.

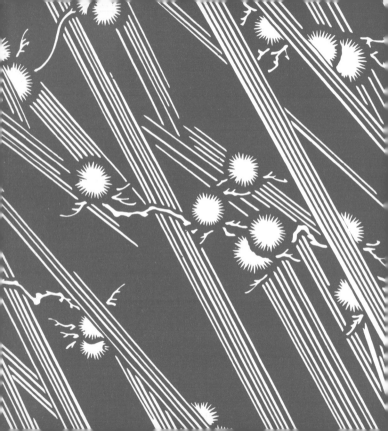

Patience

Soyez compétent dans votre quotidien et dans tous vos actes. Soyez conscient du moment et de la saison.

Il n'est pas toujours aisé d'écouter.

Il n'y a pas deux personnes qui aient exactement la même vision de la vie.

Énoncez votre vérité calmement et clairement.

**De grands projets ont
été détruits par un
accès d'impatience.**

Écoutez les autres, même s'ils
sont assommants, car chacun
a son histoire.

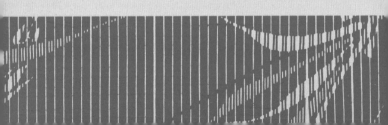

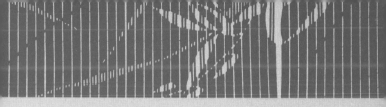

La patience envers vous-même est aussi précieuse que la discipline.

Pas besoin de gagner, l'important est de participer.

Le succès commence par la volonté.

Les gens
intelligents
savent faire
appel à la raison
pour contrôler
leurs émotions.

**Le travail est le
prix du succès.**

L'espace d'une vie ne suffit pas pour connaître tout ce que le monde a à offrir.

L'endurance, c'est du concentré de patience.

N'espérez pas que le monde s'arrêtera pour partager votre douleur.

Prenez le temps de découvrir le meilleur chez autrui.

Il est aussi important d'apprécier vos projets que de célébrer vos résultats.

Il faut toute une vie pour devenir la personne que vous voulez être.

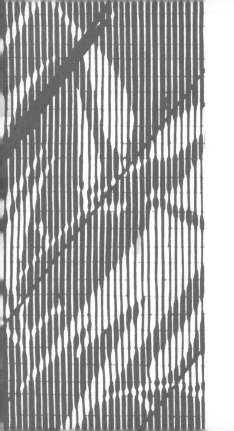

**La
patience
maîtrise
toute
chose.**

Nous
reconnaîtrons
la patience
quand
nous ne
chercherons
plus à
intervenir
sur le futur.

**La pluie va tomber,
nous n'y pouvons rien.**

**L'écoute est souvent la meilleure
force de persuasion.**

Questionnez,
écoutez,
vous apprendrez.

Lorsque vous écoutez quelqu'un attentivement, vous écoutez non seulement les mots, mais aussi l'essence de ce qui est transmis, dans sa totalité, et non en partie.

Un esprit calme est le meilleur remède à la mélancolie.

La compatibilité n'est pas liée à la ressemblance, mais au respect des différences.

Concentrez-vous sur ce qui est, et non pas sur ce qui devrait ou ne devrait pas être.

Le calme écoute sans juger.

La patience est un don, mais un don qui s'apprend.

Les idées que nous nous faisons sur ce que pensent les autres sèment un grand désordre dans notre vie.

Lorsque vous décidez de faire quelque chose, mettez-y votre cœur et prenez-y plaisir. Ainsi, quel que soit le résultat, l'expérience aura été positive.

Pour te sentir aimé, aime.

Soyez patient avec autrui : ce n'est que la courtoisie la plus élémentaire.

Nous sommes rarement libres : nous voilà esclaves de la mode, des images, des opinions, de nos sens. Autant de barrages dressés sur le cours naturel de nos pensées.

**Suis-je moi-même
ou l'imitation creuse d'un
autre que j'aimerais être ?**

N'essayez pas d'être tout
pour les autres. Soyez vous-
même pour vous-même :
c'est déjà beaucoup.

**Prenez le temps de retrouver
un état d'esprit non conditionné,
non formé.**

**Quoi que l'on vous dise,
ne soyez pas dupe.
Refusez les illusions
des autres.**

Nous pouvons sortir
de l'ignorance, à force
de persévérance.

La vie, c'est
de l'inconnu et
de l'inconnaissable.

**Commencez par
reconnaître que vous êtes
déjà arrivé.**

Une loi juste rend libre.

Apprenez à ne pas dépendre des autres – toutes les grandes épreuves de la vie s'affrontent seul.

Chérissez vos rêves, car s'ils meurent, votre vie deviendra comme un oiseau sans ailes.

Il y a deux sortes de rêves :
ceux que l'on fait la nuit (qui
ne sont pas réels au réveil) ;
et ceux que l'on fait le jour
(qui ne dépendent que de
nous pour se réaliser).

**Souvenez-vous de vos rêves,
et accordez-vous le luxe
de les réaliser.**

Mieux vaut essayer d'être
quelque chose pour une
personne, plutôt que vouloir
être tout pour tout le monde –
et échouer à coup sûr.

**Appréciez le sourire que la fleur
vous donne maintenant, car bientôt
elle mourra sans aucun doute.**

L'hésitation
n'existe que
jusqu'au moment
où l'on s'engage.
Seuls les actes
libèrent la
providence.

Ouvrez sans crainte les portes
qui séparent le familier
de l'inconnu.

Traverser la vie en
s'apitoyant sur son
sort, c'est comme
traverser une rivière
en portant son
canoë.

Si vous chassez les papillons, ils vous échapperont ; si vous les observez, ils viendront vers vous.

Entre la question et la réponse, il y a la liberté de choisir.

L'habitude la plus essentielle à acquérir dans la vie, c'est le bonheur.

Laissez votre cœur éclairer votre route.

La recherche de la sérénité est la quête d'une vie. On ne peut pas la précipiter.

La patience facilite le calme.

Entreprenez une tâche avec impatience et elle prendra deux fois plus longtemps.

Il fait plus beau lorsqu'on sourit.

Le succès et le bonheur ont meilleur goût quand ils sont partagés.

Rien n'existe pour celui qui s'efforce de garder les yeux fermés.

La patience est la clé du paradis.

Restez
tranquille,
à ne rien faire,
le printemps
vient,
et l'herbe
pousse d'elle-
même.

Proverbe zen

Il n'y a rien de meilleur que de se reposer après n'avoir rien fait – la paresse consiste à se reposer avant de… ne rien faire.

Si vous êtes capable de passer un après-midi parfaitement inutile, de façon parfaitement inutile, vous avez appris à vivre.

Lin Yutang

**L'homme se complique
la vie alors que toutes
les autres créatures
s'emploient à l'apprécier.**

Nous ne pouvons
espérer guère plus
de la vie que
d'apprendre à vivre.

Il est peu probable qu'aucun de nous échappe à la douleur – mais souffrir ou non semble être un choix plus personnel.

Nous sommes tous au cœur de l'éternité. Maintenant.

Le temps ne peut
être accéléré.

**Que la fleur que vous
tenez à la main
devienne votre monde
à cet instant.**

Ralentissez et jouissez de la vie.

La mode s'efforce de nous rendre identiques, la vie fait tout pour nous différencier.

**S'amuser est un droit
sacré pour chacun.**

Même les plus
ordinaires d'entre
nous sont
véritablement
extraordinaires.

Le but de la vie,
c'est vivre. Respirez
profondément,
commencez.

**L'émerveillement, c'est le
début de la compréhension.**

Où il y a du plaisir,
il n'y a pas de gêne.

**Pour faire un arc-en-ciel,
il faut de la pluie.**

La prochaine fois que l'on vous demande : « Comment allez-vous ? », réfléchissez à votre réponse : le reste de votre vie en dépend.

Il y a ceux qui attendent avec impatience que quelque chose arrive pour commencer à vivre. Et il y a ceux qui apprécient chaque nouveau jour comme un cadeau précieux et original.

**Ne passez pas
votre vie
à espérer.
L'impatience
est l'ennemie
de la sérénité.**

Un plaisir refusé
reste un plaisir
recherché.

Si l'impatience nous gouverne, elle peut nous faire dépasser notre objectif sans que nous nous en apercevions.

Remettez votre colère à plus tard, jusqu'à ce que vous ne lui trouviez plus de raison.

Tout vient à point à qui sait attendre.

Ne vous sous-estimez jamais :
le monde vous prendrait
au mot.

Le rire est le meilleur médecin.

La vie est remplie de déviations. Le secret consiste à apprécier le paysage.

La vraie compassion est le chemin le plus rapide vers la sérénité.

Ne laissez pas vos activités vous éloigner de la joie.

La tragédie
d'une génération
devient souvent
la comédie de la
génération
suivante : vous
feriez bien de
commencer à en
rire maintenant.

Ne demandez pas
aux autres ce qu'ils
pensent si vous
n'êtes pas prêt
à les écouter.

**Que ferez-vous
quand votre chance
viendra ?**

Un gramme de patience vaut plus qu'un kilo d'ambition.

Qui est le plus riche, celui qui possède beaucoup et désire encore plus ou celui qui possède peu et désire encore moins ?

Si vous ramassez tous les jolis coquillages de la plage, vous détruirez sa beauté.

Pensez que vos sentiments et vos humeurs sont comme les saisons et le temps. Le beau temps suivra le mauvais et le soleil reviendra un jour.

Vous avez peut-être l'impression de connaître votre esprit, mais connaissez-vous votre cœur ?

Levez la tête et ne faites plus qu'un avec le ciel… mais gardez-vous de marcher dans quelque chose de désagréable.

Les petites choses de la vie sont souvent les plus importantes.

Lorsque vous vous demandez comment passer votre journée, pensez au jour où on vous demandera ce que vous avez fait de votre vie.

La vie
est une
succession
d'instants,
ne soyez
pas
impatient
d'en finir.

Suivez le rythme de la nature.

Imaginez une courbe qui remettrait tout dans l'axe... et souriez.

Votre passé ne peut être changé et vous soucier du futur ne peut que gâcher votre présent.

Pourquoi passer votre vie
à vous soucier du futur ?
Vous le reconnaîtrez quand
il sera là.

**Mieux vaut bien comprendre
peu de choses que tout mal
comprendre.**

L'honnêteté n'augmente pas avec la richesse, c'est plutôt l'inverse qui est vrai.

L'honnêteté est un état d'esprit.

Donnez-vous le temps de connaître les autres avant de vous plaindre d'être incompris.

Nous portons tous en nous l'énergie spirituelle que nous avions à la naissance. Prenez soin de ne pas l'écraser sous le poids de vos attentes.

Le conditionnement, physique et mental, nous éloigne de notre énergie naturelle.

La nature est infiniment patiente, infiniment calme. Tout arrive, tout passe.

Lorsque nous sommes capables de comprendre qu'il n'y a plus de séparation entre l'âme, le corps et l'esprit, nous sommes arrivés à destination.

Réjouissez-vous des richesses de ce monde.

Aucun de nous n'est condamné.

Chacun d'entre nous
a une chance d'accepter
la responsabilité de son
propre développement.

Le monde est rempli d'individus qui attendent un miracle pour améliorer l'état des choses et qui, tout occupés à attendre, négligent leurs responsabilités.

Un cœur patient ne sera jamais déçu.

Comment protéger la vérité qui est en nous, dans un monde qui ne nous demande jamais ni qui ni ce que nous sommes ?

C'est très bien de regarder les étoiles, mais n'écrasez pas les pâquerettes sous vos pieds.

Chacun d'entre nous attire certaines énergies – positives ou négatives – sans en être conscient. De temps à autre nous devrions nous concentrer sur le type d'énergie que nous aimerions attirer.

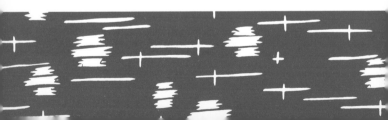

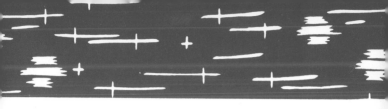

Le salut ne nous est pas livré tout fait et emballé.

Ceux qui cherchent à nous décourager de la quête de la sérénité sont ceux qui n'entreprennent jamais un tel voyage dans leur propre vie.

Qu'est-ce que l'esprit si le cœur est aveugle ?

Soyez tranquille,
soyez patient,
c'est la plus grande
force au monde.

Bonheur

Ceux qui
savent
ne parlent
pas.

Un cœur serein est un cœur comblé.

Lorsque vous saurez que vous possédez suffisamment, alors vous serez riche.

Prenez le temps de vous occuper de ceux qui vous entourent.

Il est vain de toujours comparer votre bonheur à celui des autres. Le bonheur exclut la comparaison.

Admettez tout de suite que l'argent ne donne aucun sens à la vie.

Après une chute, ceux qui nous aident à nous relever sont parfois ceux desquels on s'y attendait le moins.

La véritable amitié continue de croître malgré la distance ou les obstacles.

Dès lors que vous commencerez à faire confiance, on commencera à faire attention à vous.

Le moment qu'il faut toujours chérir, c'est : maintenant.

**Chérissez vos rêves et vos visions.
Ce sont les messagers de votre âme.**

Découvrez la paix en silence. Vous
apprendrez qu'il est possible de
traverser le bruit et la fureur de la vie
pour atteindre enfin la sérénité.

**Il est beaucoup plus gratifiant
d'être simplement soi-même que
de gâcher sa vie à essayer d'être
quelqu'un que l'on n'est pas.**

La vie a de l'humour, prenez le temps de le voir !

Le malheur nous frappe tous de temps en temps. Renforcez votre esprit immédiatement, cela vous protégera.

La solitude et la fatigue engendrent la peur – ne vous encombrez pas de vos chimères.

Il est important de gagner
l'affection et le respect des enfants
tout autant que ceux des adultes.

Le secret de la jeunesse éternelle ? Jouer !

Il est bien plus satisfaisant
de vivre pour le progrès
que pour la perfection.

La lecture est la fondation de la sagesse, prenez toujours le temps de lire.

Apprenez la valeur de vos moments de solitude – lorsqu'on apprécie quelque chose, on est plus apte à le protéger.

Le but n'a pas plus d'importance que l'effort produit pour l'atteindre.

Les gagnants sont des gens comme vous.

Pour être heureux, il faut : quelque chose à faire, quelque chose à aimer et quelque chose à espérer.

Pourquoi vos rêves ne seraient-ils pas merveilleux ? Pourquoi ne pas y croire ?

Mieux vaut cesser de vouloir vous faire aimer des autres et vous consacrer à devenir quelqu'un que les autres puissent aimer.

Quel que soit l'amour que vous avez pour quelqu'un, n'espérez pas recevoir le même amour en retour. Cela n'existe pas.

La confiance met des années à se construire et des secondes à être détruite.

Soyez doux
avec vous-même
et avec les autres.

Attention : un instant suffit à créer une vie de chagrin.

Nous sommes responsables de nos sentiments.

Chaque fois que vous vous sentez découragé par la vie, souvenez-vous que personne ne se trouve là où il est aujourd'hui sans avoir commencé là où il était hier.

Chaque cœur a ses propres douleurs.

Les pensées tourmentées sont aussi dangereuses pour la sérénité de l'esprit qu'un essaim de frelons.

Il y a de nombreux chemins vers la sérénité, choisissez celui qui vous convient.

Pour apprécier la beauté d'une fleur, ne la cueillez pas pétale par pétale.

C'est la même lune qui se reflète dans les flaques de boue et dans les fontaines.

Débarrassez-vous de l'anxiété, débarrassez-vous de l'ennui, débarrassez-vous de l'angoisse.

Regardez la bougie : plus elle éclaire loin, plus vite elle se consume.

Une bonne conscience est aussi confortable qu'un bon édredon.

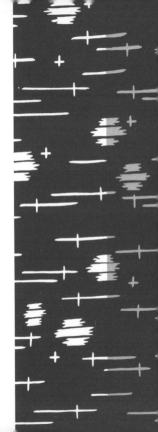

Le temps est vital. Il est important d'en utiliser une partie pour être seul.

Vous avez droit à la paix et à l'éveil intérieur.

RÊVEZ EN GRAND.

Ce qui vaut la peine d'être fait est rarement facile à faire.

Vous verrez, il y a de bons
et de mauvais jours. Pour vous,
pour nous et pour tout le monde.
Vous n'êtes jamais seul.

**Lorsque vous saurez reconnaître
ce que vous voyez et ce qui vous
est caché, alors tout deviendra
clair.**

Quand nous ne sommes pas comblés, nous sommes perdus.

Celui qui a des oreilles pour écouter, laissez-le entendre.

Vous êtes votre propre maître.

Nous risquons moins d'être
souillés par ce qui entre
dans notre bouche que par
ce qui en sort.

**Pourquoi cherchons-nous la
réponse finale alors que nous
n'avons pas encore trouvé la
réponse au commencement ?**

Nous ne sommes
que de passage.

**Est-il possible d'aimer l'arbre
et de détester le fruit ?**

On ne vendange pas le raisin
sur des ronces, on ne récolte
pas les figues sur des
chardons, pas plus qu'on
ne trouvera le bonheur dans
un cœur en colère.

**Personne n'est né pour baisser le
regard devant les autres.**

Un homme bon fait ressortir la bonté, un mauvais fait ressortir le mal. Nous portons tous ces deux possibilités en nous.

Un homme ne peut pas tendre deux arcs à la fois. Un serviteur ne peut pas servir deux maîtres. Décidez ce que vous voulez et ne vous laissez pas distraire.

Si l'homme peut déplacer des montagnes, il ne devrait pas être si difficile de faire la paix.

L'expérience sans
abstraction permet
de ressentir le monde.
L'expérience dans
l'abstraction permet
de connaître le monde.

**Lorsque vous
atteindrez la
sérénité, vous
et votre relation
au monde
s'épanouiront.**

Soyez en harmonie avec la nature, ne nagez pas toujours contre le courant.

Soyez en harmonie avec la nature. La nature ignore la haine et, sans haine, le cœur peut être serein.

**Soyez en harmonie avec
la nature. La nature ignore
la jalousie et, sans jalousie,
le cœur peut être serein.**

Soyez en harmonie avec
la nature. La nature ignore
la peur et, sans peur,
le cœur peut être serein.

Travaillez à être heureux,
c'est un des exercices
les plus gratifiants.

**N'espérons jamais percevoir
pleinement les choses ni les
comprendre totalement.**

La gentillesse mène au bonheur.

**Avec un cœur serein, vous pouvez
voir la beauté même dans les jours
de grisaille.**

Au lieu de penser à changer votre vie, vivez – bientôt vous penserez autrement.

Ne laissez pas le souvenir d'échecs passés vous détourner de succès futurs.

L'important n'est pas seulement d'être doué de la vue, mais, surtout, ce que nous voyons et la manière dont nous le voyons.

L'important n'est pas seulement d'être doué de l'ouïe, mais, surtout, ce que nous entendons et la manière dont nous l'entendons.

L'important n'est pas seulement d'avoir des sentiments mais, surtout, ce que nous ressentons et la manière dont nous l'interprétons.

Nier l'existence de l'inconscient implique que nous connaissions tout ce qu'il y a à connaître sur la psyché.

Nous ne pouvons jamais prétendre connaître totalement un individu, encore moins nous-mêmes.

Isolez une partie de votre esprit pour la garder au calme – c'est possible, même au milieu d'une mer de soucis. Ainsi vous pourrez revenir à ce port tranquille quand vous le désirerez.

D'instinct, nous érigeons des barrières psychologiques contre tout ce qui est nouveau ou inconnu.

Une fois découverte, la sérénité continuera à influencer notre conscience.

L'oubli est un processus normal d'autoprotection.

Apprenez à vous satisfaire de ce que vous avez : la paix jaillit lorsque les désirs se tarissent.

L'esprit ne peut se focaliser que sur quelques images à la fois, et de plus, celles-ci ont tendance à se brouiller avec le temps.

Nombreux sont ceux qui surestiment le rôle de la volonté et pensent que rien ne peut influencer leur esprit s'ils ne l'ont pas décidé.

Apprenez à faire la différence entre ce qui, dans l'esprit, est intentionnel et ce qui ne l'est pas.

Certaines des meilleures idées du monde doivent leur existence aux inspirations de l'inconscient.

Les grands bonheurs sont muets.

Plus vous vous obstinez à chercher le bonheur, moins vous avez de chances de le trouver.

La vie consiste en une multitude d'oppositions :
la naissance et la mort ;
le bonheur et le malheur ;
le jour et la nuit ;
le bien et le mal.

Nous avons besoin de trouver une place pour nous-mêmes qui ait un sens dans la vaste complexité de l'univers.

Tant que que nous ne nous autorisons pas à trouver un certain sens à notre vie, nous nous sentons perdus et misérables.

Lorsqu'on perd le sens de sa vie, on cesse effectivement de vivre.

Si nous ne pouvons pas vivre en harmonie avec la nature extérieure, nous aurons du mal à comprendre notre propre nature.

Il serait absurde d'attendre des autres qu'ils fassent ce que nous ne voulons pas faire nous-mêmes.

N'ayez pas peur de rêver.

Ne cherchez pas la sérénité au point
d'être écrasé par votre quête.

**L'homme moderne se laisse aller
à des impulsions qui ne lui
appartiennent pas du tout.**

Être serein, ce n'est pas fuir
la réalité.

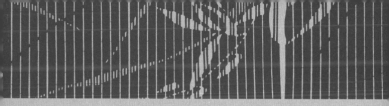

Lorsque vous montrez le ciel du doigt, ne confondez pas votre ongle avec la lune.

Pour voir clairement, votre esprit doit être libéré des mots errants et des fantasmes flottants de la mémoire.

Quand vous vous sentez trop pris par vous-même, sortez contempler un ciel étoilé.

L'ego et les intérêts personnels ne sont que des pièges qui éloignent l'homme de la nature universelle de la vie.

Aide autrui et tu t'aideras.

Compréhension : là est la racine de l'harmonie et de la sérénité.

Recherchez toujours des relations harmonieuses avec les gens.

Le professeur est là pour aider l'élève à apprendre, l'élève a le devoir d'accepter l'aide du professeur.

On ne peut pas acquérir un savoir complet avec une vision partielle.

La sérénité est difficile à trouver pour ceux qui s'empressent trop d'accepter et de croire ce que disent les autres.

Pour apprécier les sommets de la vie, il faut aussi en avoir tâté le fond.

N'abandonnez jamais. Ayez le courage de vos opinions.

Ne placez pas la barre trop haut, ou vous échouerez avant d'avoir commencé.

Pourquoi le présent est-il appelé présent ? Parce que c'est un cadeau.

Personne ne mène une vie sans problèmes, mais c'est la manière dont nous les gérons qui fait la différence.

De l'extérieur, une personne heureuse peut ressembler beaucoup à une personne malheureuse.

Nous sommes la somme de nos choix.

Tout ce qui, en vous, vous immobilise, vous barre le chemin et vous empêche d'atteindre vos objectifs fait partie de vous.
Il vous appartient d'en disposer.

**Prenez des risques
et arrêtez de vous
en faire.**

Faites comme si
vous deviez
toujours rester
en bonne santé.

**Prenez vos
sentiments à bras
le corps et regagnez
le contrôle de votre
vie.**

Les gens qui paniquent et dépriment le font habituellement parce qu'ils ont perdu pied.

Un diamant n'est qu'un morceau de charbon qui a subi une énorme pression.

Qui rira durera.

Consacrez un peu de votre temps à vous occuper de votre corps aussi bien que de votre esprit.

Chaque jour, gardez un petit moment pour vous-même et détendez-vous.

Le bonheur est à la portée
de tous, il suffit d'être
satisfait de ce que l'on a
fait de sa vie et de se savoir
capable de maîtriser ses
sentiments.

Perception

Quand quelqu'un nous écoute, il nous crée, il nous permet de nous développer et de nous ouvrir. Alors les idées commencent vraiment à germer et à prendre vie en nous.

Des pensées neuves, un rire inattendu et de la sagesse sont les plus beaux des cadeaux.

Ne craignez pas d'écouter les autres par peur de ce que vous pourriez entendre.

Ce qui compte dans votre vie, c'est le qui et non le quoi.

Vous ne devriez jamais avoir honte d'avoir tort – ce n'est qu'un moyen de dire aux autres que vous êtes plus sage aujourd'hui qu'hier.

Vous ne trouverez la paix que lorsque vous serez en mesure de découvrir la fragilité et l'importance de chaque vie individuelle.

**On n'écoute
vraiment
qu'avec le cœur.**

Mieux vaut
contrôler vos
attitudes et vos
sentiments que
les laisser vous
contrôler.

Le pouvoir d'écouter les autres est une des plus grandes forces qui nous soient données. Il nous donne le pouvoir d'être écouté des autres.

Tout le monde peut être un héros. L'héroïsme ne consiste qu'à faire ce qui doit être fait au moment où il faut le faire, sans se soucier des conséquences.

Se pardonner à soi-même
est aussi important qu'être
pardonné par les autres.

**_Vraiment_ écouter,
vraiment voir :
c'est immensément
stimulant.**

De bonnes références ne font pas forcément de bonnes personnes.

Il y a deux raisons pour ne rien dire. Soit vous n'avez pas écouté ce qui a été dit et vous n'avez pas compris, soit vous avez écouté et tout compris, et vous n'avez rien à ajouter.

Votre passé et votre condition à un moment donné n'ont aucun effet sur votre devenir.

Mieux vaut accepter de voir changer nos amis que changer d'amis.

Une chose est certaine, les choses doivent changer pour s'améliorer.

Tout être vivant évolue. Il n'y a pas de vie sans évolution, l'évolution implique le changement et le changement implique l'évolution.

À vivre pour l'avenir, nous risquons de négliger le présent.

Pouvez-vous affirmer qu'en cet instant précis, vous n'êtes pas une libellule rêvant qu'elle est un être humain ?

La tentation ne se présentera peut-être plus, alors réfléchissez bien avant d'y résister.

Dans la vie nous nous éveillons pour nous endormir et nous dormons pour nous éveiller.

Allez là où vous devez aller : vous apprendrez.

L'échec est une méthode unique pour obtenir une deuxième chance.

Acceptez votre sort, ne gâchez pas votre énergie à combattre l'inévitable.

Dans une vie nous sommes beaucoup de choses, soyez ouvert à l'incertitude glorieuse de la vie.

Ceux qui vivent pour se comparer aux autres deviendront orgueilleux et amers.

Il n'y a que d'autres personnes dans ce monde, aucune n'est supérieure ou inférieure à vous.

Nous sommes seuls face aux grandes questions de la vie. Pour les poser comme pour y répondre.

Hier est mort et demain n'est pas encore né. Aujourd'hui est tout ce qui importe.

Le monde est merveilleux, malgré les surprises qu'il nous réserve.

Au moment où vous pensez être battu, vous l'êtes effectivement.
Dès lors que vous décidez que vous ne serez pas battu, vous êtes sur le chemin de la victoire.

L'ordinaire peut être changé en extraordinaire.

Demandez-vous si le résultat de votre vie est plus important que la vie elle-même.

Il est essentiel d'accepter la responsabilité de votre vie, car personne ne peut le faire à votre place.

Il y a plusieurs chemins dans la vie, et vous devriez vouloir en emprunter plus d'un.

Si vous essayez trop fort, vous vous tromperez.

Pour sauter l'obstacle, il faut regarder au-delà.

Quand il n'y a plus de réponse, les questions suffisent.

Arrêter de chercher c'est arrêter de vivre.

Apprendre, c'est comprendre subitement ce que vous avez toujours su.

Un seul regard ne suffit pas, essayez toujours un autre point de vue.

Voyons-nous tout ce qui est à voir, ou seulement ce que l'esprit est prêt à comprendre ?

À essayer de se simplifier la vie, l'être humain n'a réussi qu'à se la compliquer à l'extrême.

Si une
chose
peut être
accomplie
avec
peu de
moyens, il
serait futile
d'y mettre
de grands
moyens.

Cherchez
la simplicité
en toute chose.

Souvent, nos problèmes nous paraissent insolubles parce que la manière dont nous les abordons ne permet pas de solution.

Vous êtes indissociable de l'univers. Vous ne faites qu'un avec lui.

Équilibrez les contraires – le clair et l'obscur, le positif et le négatif, le masculin et le féminin. Aucune de leurs composantes ne peut exister seule.

Soyez comme un enfant qui ne sait rien sauf ce qu'il entend, voit, sent et ressent.

Acceptez que certaines choses ne puissent être possédées ou contrôlées. Pensez à l'air, à l'eau : ils ne peuvent être saisis ni découpés, et leur flux s'évanouit quand ils sont enfermés.

Vous ne pouvez pas mettre un océan dans votre poche.

Les pensées
poussent dans
l'esprit comme
l'herbe dans
les prés.

Dévier sa vie de son cours, c'est détruire l'harmonie universelle. La nature ne peut être forcée ; pourquoi donc forcer les humains, alors qu'ils s'harmonisent naturellement par eux-mêmes ?

Mettre de l'ordre dans sa vie, c'est un peu comme vouloir dresser un bout de ficelle ou lisser l'eau.

Prenez le temps d'observer l'eau sous toutes ses formes : pluie, gouttes, ruissellements, brume, vagues, torrents.

Vivez votre vie comme vous l'entendez et ayez la courtoisie de laisser les autres en faire autant.

Tout comme la plante pousse à partir d'une graine, nous croissons à partir de l'intérieur.

La nature est un tout. C'est nous qui, en collant partout des étiquette, nous séparons de l'ensemble.

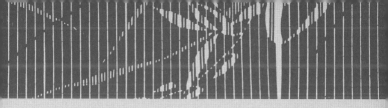

Si vous observez l'univers dans ses parties isolées, vous ne verrez que conflit. Mais si vous l'observez dans sa globalité, vous trouverez équilibre et harmonie.

Nous sommes responsables de tout ce qui se passe dans nos vies, l'action comme la réaction.

**Allez dans le flot,
roulez dans la vague,
nagez dans le courant,
orientez les voiles au vent,
prenez la marée montante.**

Combien de longues vies ont
été gâchées, à être vécues
dans la peur de la mort et
l'attente du lendemain ?

Une vie organisée,
c'est beaucoup d'énergie
gagnée.

Qu'est-ce qui
compte le plus pour
vous : ce que vous
avez accompli, ou la
liste de vos
réalisations ?

Il faut avoir atteint un certain degré de confiance en soi pour faire confiance aux autres. Et pour atteindre ce degré, il faut admettre ses propres faiblesses.

Observez les chats, voyez comme ils peuvent passer des heures à regarder simplement autour d'eux. Ont-ils l'air angoissé, paniqué ?

La nature vous comprendra, si seulement vous essayez.

La joie et la colère surviennent aussi naturellement que l'été et l'hiver.

Que votre désir le plus cher soit de ne pas désirer.

Ne perdez jamais de vue la superficialité du monde des hommes.

Le plus souvent, l'expert est le moins qualifié pour expliquer les secrets de son métier.

Celui qui sait s'adapter aux circonstances évite de se laisser déstabiliser.

Certains
croient que
la force
peut tout.
La vérité,
c'est que
la force
n'est pas
bonne à
grand-
chose.

Les règles sont faites pour être contestées.

Admettre que la vie est difficile, c'est déjà régler la question.

Affronter et résoudre les problèmes est un processus douloureux. Apprenez à l'accepter.

Si les problèmes n'existaient pas, à quoi serviraient le courage et la sagesse ?

Face à un problème, la fuite est souvent plus douloureuse que le combat. Le combat fait appel à notre intellect, à notre courage, à notre sagesse. La fuite ne mène qu'à la névrose.

Acceptez la nécessité
de la souffrance ainsi
que sa valeur.

**Repoussez la
récompense à plus
tard.**

Assumez les
responsabilités.

**Consacrez-vous
à la vérité.**

L'amour consiste à savoir bien distinguer nos valeurs propres et la valeur relative que nous accordons à l'autre.

Comme les enfants, nous avons besoin d'être rassurés. Si on nous accorde de la valeur, nous nous sentons valorisés.

Nous voulons tous être mis en valeur, c'est un besoin fondamental.

Si nous pensons avoir de la valeur, nous prendrons plus soin de nous-mêmes et si nous donnons de la valeur aux autres, nous prendrons plus soin d'eux.

Il faut apprendre à respecter les autres avant de pouvoir se respecter soi-même.

Même si on le souhaite très fort, les problèmes ne disparaissent pas comme cela.

Évitez de voir la vie comme une série de « je ne peux pas », de « je ne pouvais pas » et de « je devrais ».

Pensez-vous que vos problèmes viennent du monde, ou de vous-même ?

Si votre intention est de rendre
la vie des autres impossible,
la seule personne que vous
détruirez, c'est vous-même.

Aucun problème ne peut être résolu tant que quelqu'un n'a pas pris la responsabilité de le résoudre.

Éviter les responsabilités inhibe le développement spirituel.

Regardez votre vie sous un angle nouveau, de nouvelles possibilités s'ouvriront à vous.

Au cours de votre quête du
sens de la vie, n'oubliez pas
de vivre un peu.

**La compréhension ne s'acquiert
pas par une démarche intellectuelle
mais par l'expérience.**

Dès que vivre devient
une habitude, nous cessons
d'apprendre.

En
vieillissant,
il faut
s'habituer
à faire
confiance
à la
jeunesse.

Faites rire votre cœur
et vos peines chanteront.

Tout dans la vie
est conforme aux
apparences – il n'y a
pas de sens caché.

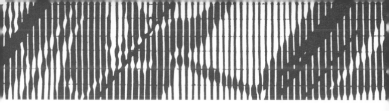

**Posez des questions
avec votre cœur aussi bien
qu'avec votre tête.**

Le sens de notre vie, c'est
ce que nous y mettons.

Dépassez vos peurs mais
ne cessez jamais de douter.

**Écoutez les opinions
des autres, mais ne jugez
que selon vos critères.**

Cheminez dans la vie comme
vous le désirez, mais un
chemin sans cœur ne vous
mènera nulle part.

Regardez avec votre esprit autant qu'avec vos yeux.

Ne confondez pas la personnalité et le moi.

La société mesure le succès à la notoriété, à la richesse et à la réussite, mais tout cela ne vaut rien si le cœur reste vide.

Ne posez pas de conditions au bonheur, ou vous ne serez jamais satisfait.

Essayez de considérer les problèmes comme des défis et les obstacles comme des occasions de faire vos preuves.

Le bonheur vient vraiment de l'intérieur.

Au long du voyage de la vie, nos sentiments de paix, d'amour et de joie sont souvent obscurcis par des pensées négatives. Il faut chasser ces nuages.

L'insécurité et l'accumulation de stress peuvent être éliminées en évacuant les pensées négatives qui les ont engendrées.

Suis-je l'architecte de mes pensées, ou leur victime ?

Ne laissez pas vos pensées prendre le contrôle de votre vie, prenez le contrôle.

Les sentiments négatifs nous informent que quelque part, quelque chose va mal dans la manière dont nous menons notre vie.

Les sentiments positifs nous informent que nous gérons notre vie selon notre état d'esprit naturel, en faisant appel au meilleur de nos émotions.

Cessons de juger et commençons
à apprécier la diversité des individus.
Alors seulement nous commencerons
à apprendre d'eux.

**À laisser s'installer les sentiments
négatifs, nous devenons comme la
chose ou la personne que nous
critiquons ou détestons. Ce faisant,
nous démultiplions la négativité.**

Le plus haut degré
de compréhension
vous viendra
naturellement
lorsque vous aurez
éliminé tout
jugement critique
sur des réalités
divergentes.
Alors seulement,
les sentiments
positifs
remonteront
à la surface.

Essayez de vous voir comme les autres vous voient et si vous n'aimez pas ce que vous voyez, changez-le.

Ne vous fiez pas aux apparences, apprenez à voir au-delà de la surface.

La sérénité viendra lorsque vous aurez acquis une confiance totale en vos jugements.

Acceptez de ne pas être parfait : personne ne l'est. L'important est de bien identifier vos imperfections.

Paix

Parlez positif, pensez positif :
vos pensées, vos paroles et vos actes
toujours vous reviendront.

Notre responsabilité finit toujours par nous rattraper.

Il est important de défendre vos
convictions, mais respectez toujours
le droit des autres de faire de même.

Laissez vos pensées pénétrer profondément votre cœur.

Soyez gentil et doux dans vos relations avec les autres.

Que vos paroles soient vraies et vos décisions justes.

Il vaut toujours mieux éviter les gens agressifs.

La paix existe en chacun de nous, elle attend juste d'être nourrie et développée.

Il est bon de rire souvent et beaucoup.

Si vous faites trop d'efforts pour définir l'essence de la sérénité qui est en vous, elle devient inaccessible. Acceptez cela et elle sera toujours à votre portée.

Ne vous contentez pas du premier barreau sur l'échelle de la spiritualité. Soyez toujours prêt à monter plus loin et plus haut.

Plus l'humanité s'éloigne de sa vérité et de son énergie intérieures, plus il y a de chaos dans le monde.

C'est la conscience qui nous donnera accès à une paix profonde et éternelle avec nous-mêmes.

Si vous pensez avoir raison, n'ayez pas peur, continuez.

Nous pouvons avoir l'impression de savoir et donc agir en toute confiance, mais bien souvent, nous ne savons pas ce que nous faisons.

La pensée est la source de la puissance.

On peut être fidèle et digne de confiance, c'est une pulsion naturelle d'être honnête.

Il n'est pas impossible de laisser le monde en légèrement meilleur état que celui dans lequel on l'a trouvé.

Essayez de mettre votre savoir à profit au quotidien, sinon vous serez isolé de ce que vous savez et de ce que vous faites.

Cherchez toujours la profondeur des choses pour avoir le regard pur et limpide d'un enfant.

Le choix de la paix n'est jamais simple, mais c'est toujours le chemin qui engendre le moins de douleur.

Si vous sentez une différence entre les enseignements spirituels et votre vie quotidienne, cela signifie que vous avez mal observé et mal appris. Vous ne vivez pas avec la vérité.

Votre but doit être de posséder ces qualités divines : gentillesse, tolérance et respect.

On ne peut pas bâtir la paix
sur le terrain instable de la peur.

**La paix ne coûte rien mais si
elle vient à manquer, toutes les
richesses du monde perdent
toute valeur.**

Soyez intransigeant, débarrassez-vous
de toute habitude ancienne qui ne
serait pas fondée sur la vérité.

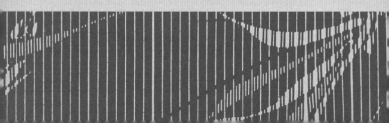

Pour améliorer ses relations sociales, la solution n'est pas de se battre, mais de savoir inventer des solutions pacifiques.

L'agression est aveugle.

Les dirigeants ne devraient pas être choisis uniquement sur la force de leur volonté.

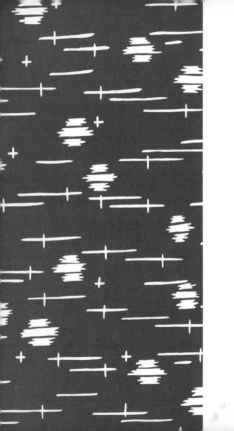

Un sage
sait ce
qu'il doit
ou ne
doit pas
tenter.

**Personne ne naît brutal ou violent,
ces choses sont forcément acquises.**

Un esprit laissé à l'abandon
devient une ruine.

**Tout le monde apprend à survivre
d'une manière ou d'une autre,
mais vivre est autre chose.**

La plupart des erreurs viennent d'un
manque d'harmonie avec l'instant, de
jugements hâtifs et de choix irréfléchis.

Il est de notre devoir de trouver notre équilibre spirituel.

Gardez tout en perspective, respirez profondément et ayez des pensées paisibles.

Le début de toute entreprise apporte toujours l'espoir de quelque chose de grand. C'est une merveilleuse sensation.

Accordez votre intellect et votre esprit à la bonne manière de voir la vie.

Ne laissez pas l'expérience et la déception vous aigrir, essayez toujours de conserver votre énergie et votre enthousiasme pour la nouveauté.

Écoutez votre cœur, car il ne vous mentira jamais.

Un bon professeur met l'accent sur le positif.

Vous allez découvrir qu'il est important de faire confiance au chemin que vous avez choisi, même si les autres ne voient pas où il mène.

Nombreux sont ceux qui ne font rien pour développer leurs qualités spirituelles, et qui cherchent en vain le divin en dehors d'eux-mêmes.

N'attendez pas des autres ce que vous-même ne voulez pas donner.

Le véritable maître spirituel est l'énergie spirituelle que l'on développe soi-même.

Si vous ne vous engagez pas sincèrement sur la voie juste, vous vous en écarterez.

C'est le développement de la conscience spirituelle qui permet la responsabilité.

Le mal que l'on fait aux autres, on le fait
à soi-même. Comprenez cela et vivez
en paix avec le monde.

**Ne considérez jamais la paix
comme acquise car elle n'est
jamais aussi appréciée que
lorsqu'elle est vient à manquer.**

La véritable essence de l'âme se situe
dans son rapport avec le quotidien.

Les attitudes négatives et les comportements égoïstes sont les ennemis de la paix intérieure.

Le fruit d'une vie dépend entièrement de la manière dont est vécu chaque jour.

La paix, l'harmonie et la sérénité forment le terreau sur lequel la vie peut fleurir.

Lorsque vous choisissez votre maître, regardez attentivement comment il vit et ce qu'il sait.

Les mots ne sont pas toujours suffisants pour décrire la vérité.

Les mots peuvent être facilement mal compris – soyez sûr de bien dire ce que vous voulez exprimer.

Comprenez bien que la vie matérielle n'est qu'une infime fraction de votre vie.

Laissez votre réalité spirituelle donner forme à votre situation matérielle.

Si vous ne faites pas d'efforts vous-même, personne, ni au ciel ni sur terre, ne pourra vous aider.

La paix ne peut pas vous être imposée, elle doit venir de l'intérieur.

Développez une vie intérieure fertile, notre monde intérieur gouverne notre santé et nous maintient en contact avec notre réalité spirituelle.

Personne ne peut tromper personne, si ce n'est soi-même.

Soyez votre propre critique, mais n'oubliez pas de vous féliciter quand vous le méritez.

On ne peut pas dire de quelqu'un qu'il est absolument bon ou mauvais, nous avons tous le potentiel d'être meilleurs ou pires que ce que nous sommes déjà.

**Pour progresser vers la paix,
il faut s'attendre à des difficultés.
La paix ne consiste pas à éviter
les problèmes.**

Essayez, en votre âme et conscience,
de « désapprendre » vos mauvaises
attitudes.

**Acceptez de ne pas vous sentir
bien, fort et positif tous les
jours.**

La vie n'encouragera pas toujours
l'ascension de votre énergie.

Ne soyez pas la victime de vos propres humeurs.

Les sautes d'humeur violentes n'ont pas leur place dans un esprit serein.

Les sautes d'humeur indiquent clairement le poids qui pèse sur notre santé mentale et physique.

La vie du corps a des cycles. Atttachez-vous à y trouver le calme.

C'est dans la manière dont vous gérez chaque moment précieux de votre vie que se trouve l'expression de votre être véritable.

La contemplation silencieuse est un bon antidote aux pressions de la vie.

La méditation peut nous aider à nous détacher des bavardages de l'esprit, pour entrer dans une dimension plus calme et plus ordonnée.

Il ne faut jamais méditer
avec un esprit troublé.

**L'honnêteté est
un état d'esprit.**

La paix intérieure est l'absolu
de la confiance en soi.

Les pensées troubles et non résolues ne peuvent pas survivre dans un esprit en paix.

La conscience, c'est cet intervalle ennuyeux entre deux siestes.

Nous entrons dans ce monde nus, mouillés et affamés – les choses ne peuvent que s'améliorer.

Donnez au monde le meilleur de vous-même, cela ne suffira jamais.
Donnez au monde le meilleur de vous-même, quoi qu'il en soit.

Les gens oublieront demain le bien que vous avez fait aujourd'hui. Faites le bien quand même.

Si vous trouvez la sérénité et le bonheur, ne vous en vantez pas et n'essayez pas de rendre les autres jaloux. Si vous le faites, c'est que vous n'avez pas vraiment trouvé la sérénité et le bonheur.

Nous nous enfermons dans l'idée paranoïaque que ce que nous faisons sera détruit par les autres. C'est pourquoi, souvent, nous ne faisons rien alors que nous devrions persister.

Le succès apporte de faux amis et de vrais ennemis.

Lorsque nous sommes gentils, nombreux sont ceux qui s'interrogent sur nos intentions.

Les gens sont souvent déraisonnables, illogiques et égoïstes. Pardonnez-leur quoi qu'il en soit.

La voie de la paix est plus facile que vous ne le pensez.

Le rire est le seul véritable antidote à la douleur.

Les rêves peuvent être plus puissants que les faits.

Le mythe peut être plus puissant que l'histoire.

Dans la vie, vous ne pourrez jamais savoir jusqu'où vous pouvez aller si vous ne prenez pas de risques.

Utilisez les pierres que la vie vous jette pour poser les fondations de votre avenir.

Ayez le courage de rêver l'impossible.

Si vous n'aimez pas l'échec, essayez encore… et persévérez.

Faites bon usage de chaque journée. Une semaine de la vie de l'un est l'année d'un autre.

L'ambition, en soi, ne mène nulle part.

La pauvreté peut vous priver de vos beaux vêtements, mais pas de votre rire.

Chérissez la musique qui résonne dans votre cœur.

**Soyez fidèle
à vos
idéaux.**

Ayez
confiance
en votre
regard.

Vivez votre vie – suivez votre étoile.

Créez vos propres modèles de vie.

Même si vous êtes sûr de votre chemin, soyez toujours ouvert aux conseils des autres – vous continuerez d'apprendre.

Osez être différent.

Revendiquez le droit d'être vous.

Pouvez-vous rester seul avec vous-même ? Et aimez-vous vraiment votre compagnie dans ces moments vides ?

Quand tout s'écroule autour de vous, l'endroit où vous vivez ou l'argent que vous avez n'a aucune importance.

L'âge ne compte pas – la paix n'est pas l'apanage des personnes âgées.

Ce qui m'intéresse, ce n'est pas de savoir ce que vous faites dans la vie, mais comment vous vous conduisez quand vous le faites.

Que la paix ne soit pas seulement votre objectif, mais aussi votre règle de vie.

Attachez moins d'importance à la récolte qu'au partage, ainsi votre vie aura plus de sens et votre cœur sera en paix.

Refuser, c'est se flétrir.

Donner, c'est aimer.

La paix est l'environnement le plus favorable au développement de l'intellect et de l'esprit. Dans vos relations avec les autres, regardez au-delà des différences.

Qu'est-ce que la paix
sinon l'absence de colère
et d'anxiété ?

La paix intérieure, c'est avoir des
émotions modérées et se réconcilier
avec les vicissitudes de la vie.

Vous verrez que la vie
est confuse et mouvementée,
acceptez-le et soyez fidèle
à la paix.

La paix consiste à vous réconcilier avec votre nature physique.

La paix est une affaire de bon sens, de connaissance, de raison et de clarté.

La paix est indissociable de la volonté et de l'intelligence.

La paix sera à nous quand nous aurons intégré la sérénité dans nos vies.

Vous ne pouvez pas imposer la paix, mais vous pouvez convaincre par l'exemple.

Vous allez découvrir que,
quoi que vous en pensiez,
vous êtes un enfant de
l'univers, et que comme
les étoiles dans le ciel ou
les arbres dans un jardin,
vous avez le droit d'être là.

Perdre
la sérénité

La critique est aisée,
mais l'art est difficile.

Ne critiquez jamais ce que vous ne feriez pas vous-même.

Lorsque vous ne vous croirez plus capable de continuer, vous verrez que c'est possible.

La connaissance dure toute une vie, le charme n'agit que quelques instants.

Qui parle beaucoup
souvent ne sait pas.

**Il est permis d'être
en colère.**

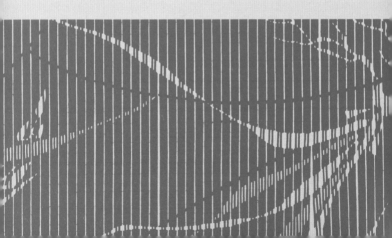

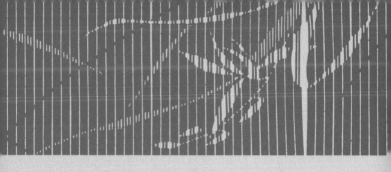

La cruauté n'est jamais justifiée.

Je dois = obligation

J'essaie = volonté

Je ne veux pas = défaite

Je peux = force

J'ai fait = réalisation

Nos proches nous blesseront
de temps en temps, et inversement.
Excusez-vous à l'avance.

Certains secrets
ont intérêt à être
bien gardés.

Il est important de rester motivé par sa carrière, même si elle paraît modeste et décousue.

Le monde est plein de traîtrise, il est sage de prendre garde mais n'oubliez pas d'apprécier le spectacle.

Le sage se met rarement en avant,
le vaniteux est rarement respecté,
le fanfaron réussit peu
et le vantard ne dure pas.

Remettre à plus tard, c'est perdre votre temps.

Ne tentez pas l'impossible :
l'être humain a ses limites.

Vous n'êtes pas parfait. Personne ne l'est.

Apprenez à respecter vos faiblesses et à employer vos forces au mieux.

**Vous êtes
capable de
faire quelque
chose de
remarquable.**

Inutile d'accuser le sort de vos échecs ou d'attribuer vos succès à la chance.

Presque tout est possible, mais n'oubliez pas le presque.

Qui veut réussir trouve des moyens, qui ne veut pas trouve des excuses.

Il est toujours bon de savoir ce que vous vous apprêtez à faire.

Celui qui participe n'est jamais perdant.

Votre conscience n'empêchera pas le péché – elle n'est là que pour vous gâcher le plaisir !

Ceux qui
monopolisent
la parole
ne savent pas
écouter.

Au lieu d'écouter
ce qu'on leur dit,
beaucoup de gens
écoutent ce qu'ils
vont dire.

Accordez-vous un moment de calme pour méditer.

Il est important de revoir votre emploi du temps pour changer vos mauvaises habitudes.

Ne sous-estimez jamais l'importance du jeu.

Le sommeil est crucial. Écoutez votre corps.

Souriez davantage, riez davantage. Cela allégera votre charge émotionnelle.

Comptez chaque jour les grâces qui vous sont accordées.

N'ayez pas honte de penser du bien de vous-même de temps à autre.

Simplifiez-vous la vie.

Fixez-vous des objectifs réalistes.

Définissez vos buts.

Apprenez à pardonner.

Efforcez-vous d'être optimiste
et laissez vos attentes devenir
bénéfiques.

**Ne comptez sur personne
pour soulager vos angoisses.**

**Vous avez la responsabilité
de gérer votre stress.**

Vous êtes le seul à vouloir, et
même à pouvoir, alléger votre
fardeau psychologique.

Une chose aussi simple qu'un bon bain peut faire des merveilles pour vous calmer.

Les soucis donnent une grande ombre à une petite chose.

Proverbe suédois

Rien ne pourra changer tant que vous ne serez pas prêt à vous y attaquer activement.

Demandez-
vous ce
que vous
voulez
vraiment
dans la vie.

N'ignorez pas ce qui vous donne vraiment du plaisir.

La qualité n'est jamais accidentelle.

Excusez-vous toujours quand vous avez eu tort.

Un peu de parfum s'attarde sur
la main qui vous tend des roses.

Proverbe chinois

La plus grande récompense du travail n'est pas ce que vous obtenez en retour, mais ce que vous devenez.

Vos actes ne vous procureront pas toujours de bonheur, mais il ne peut y avoir de bonheur sans action.

Le doute freine l'énergie.

L'attitude est une petite chose qui fait une grande différence.

Les attitudes sont contagieuses.

Si vous ne croyez pas en vous, il est probable que personne d'autre ne le fera.

Nous sommes tous capables d'apprendre des erreurs des autres et pourtant, nous sommes réticents à le faire.

C'est
formidable
comme on
se sent bien
après avoir
encouragé
quelqu'un.

Ne manquez jamais une occasion de dire quelque chose de positif.

Personne ne pense tout ce qu'il dit, et très peu disent ce qu'ils pensent.

Les mots sont glissants.

Les faits sont têtus,
ils ne supportent pas
qu'on les ignore.

Il est plus facile de se battre
pour ses principes que de vivre
en accord avec eux.

N'accusez pas les autres,
ou vous devrez renoncer
à votre droit de changer.

Si l'on se trouvait ne serait-ce
qu'une fois, on pourrait se permettre
de perdre la mémoire.

Imaginez l'étendue de
notre liberté si nous pouvions
mettre de côté tout ce qui
nous limite.

On ne peut rien apprendre de celui que l'on ne respecte pas.

Personne n'est identique à vous, apprenez à accepter et à aimer votre singularité.

Certains voient tout ce qu'ils font comme une tâche ingrate, d'autres font ce qu'il faut dans une dynamique positive. Pour eux, rien n'est contrainte, tout est acte volontaire.

Nous cessons d'être vraiment vivants lorsque les regrets remplacent les rêves.

Savoir lire la musique ne sert à rien si vous êtes incapable de la ressentir.

**Tout ce qui vous semble
important est important.**

Les mots sont souvent
impuissants à communiquer
tout ce que nous avons dans
le cœur.

**Ne perdez pas
votre temps : qui perd
le présent perd tous
les temps.**

Si vous savez où vous allez, vous y arriverez sûrement. Si vous ne savez pas où vous allez, vous arriverez sûrement ailleurs.

La solitude n'est qu'un lieu de passage.

Aucun oiseau ne peut voler avec les ailes d'un autre, aucun oiseau ne peut voler trop haut avec les siennes.

Prévoir l'avenir
est difficile,
pour ne
pas dire
impossible.

Ouvrez grand les yeux.
Parfois, par exemple, ceux qui
nous proposent le salut éternel
s'entourent de plantes mortes.

L'histoire est faite de vérités et de mensonges dans des proportions inégales.

**Lorsque vous tuez le temps,
souvenez-vous que le temps
vous tue.**

Quand on a la chance
de naître avec deux yeux,
on ne devrait jamais en fermer
un pour regarder la vie.

Une vie mal vécue devrait nous faire bien plus peur que la mort.

Si seulement notre créativité était à la hauteur de notre possessivité !

La meilleure chose que vous puissiez faire dans la vie, c'est être vous-même.

Appréciez ceux qui vous aiment pour ce que vous êtes.

Méfiez-vous de ceux
qui vous aiment pour
ce que vous pouvez
leur apporter.

**Autant vous y faire :
il y aura toujours des gens
qui ne vous aimeront pas.**

La vérité ne devrait pas
blesser celui qui la dit.

**N'ayez jamais honte
de ce que vous êtes.**

**La vérité est toujours
passionnante.**

La vie devient terne
et fastidieuse quand
elle est séparée de la
vérité.

Méfiez-vous de ce qui vous oblige à renoncer à la liberté.

Vous seul pouvez changer votre vie.

Vous voulez du temps ?
Créez-le. Le temps
ne se trouve pas.

**Essayez toujours de finir
ce que vous avez commencé.**

La félicité est la cerise sur
le gâteau. Savourez-la.

L'expérience
n'est pas
une chose
qui se crée,
c'est une
chose qui
se subit.

Qui se prétend sans défaut
est un menteur.

**Soyez vous-même, quoi qu'en
pensent les autres.**

Au lieu d'être déprimé et diminué
à la pensée de ce que vous êtes,
pensez à votre potentiel.

**Accordez-vous du temps
et de l'espace pour vous épanouir
dans vos ambitions.**

Il est admirable
d'être plus sage
que les autres,
mais il serait sot
de le leur dire.

Nous pouvons vivre en maudissant l'obscurité, ou simplement allumer une bougie.

**La guerre ou la paix ?
Le choix est-il vraiment difficile ?**

Celui qui ne parle qu'en bien de tout le monde peut tout autant n'en parler qu'en mal.

Aucun métal ne forgera une chaîne capable d'assujettir le cerveau humain.

Le chemin le plus court pour
connaître quelqu'un, c'est
de connaître ses ennemis.

**Commencez à apprécier
vos doutes : voyez-les
comme des défis.**

Ceux qui aiment le plus sont
ceux qui se sont le plus séparés.

L'histoire de l'humanité est à notre disposition… conservée dans les citations !

**Événement - impossible
= vérité.**

Le sage a une bonne
perception de son ignorance.
Le sot ne s'en apercevra
jamais.

Ceux qui essayent de s'étonner eux-mêmes ne devraient faire que ce qu'ils savent faire.

Une vie consacrée aux autres est une vie pleine de sens.

La sérénité est ce qu'il y a de plus facile
à perdre.

On ne peut pas tromper
la nature, inutile d'essayer.

La sérénité s'épanouit dans un corps et
un esprit sains.

Saisissez les défis de la vie, vous devez vouloir réussir ; mais méfiez-vous de vouloir trop.

Il faut être satisfait de soi-même
et de ce qui nous entoure avant
de s'engager sur le chemin
de la sérénité.

La vie est un Défi – Relevez-le !

La vie une Chanson – Chantez-la !

La vie est un Songe – Réalisez-le !

La vie est un Jeu – Jouez-le !

La vie est Amour – Jouissez-en !

Bhagawan Sri Sathya Sai Baba

Traduction : Gail Wagman et Alain Schons

Pour l'édition originale anglaise
parue sous le titre *A Thousand Paths to Tranquillity* :
Copyright © MQ Publications Limited 2000
Texte : © David Baird 2000
Conception graphique : Broadbase

Pour l'édition française :
© 2001 Albin Michel S.A.
22, rue Huyghens, 75014 Paris
www.albin-michel.fr

ISBN : 2 226 11984 1
N° d'édition : 12 298
Dépôt légal : second semestre 2001

Imprimé et relié en Chine